T3-ALD-211

L'autobus à Margo

Conception graphique de la couverture: Martin Dufour
Illustrations: Suzanne Duranceau

Dépôts légaux: 3e trimestre 1981
Bibliothèque nationale du Québec
Bibliothèque nationale du Canada

ISBN: 0-7773-4425-4 Imprimé au Canada

Si vous désirez recevoir la liste de nos plus récentes parutions, veuillez écrire à:

LES ÉDITIONS HÉRITAGE INC.
300, Arran, Saint-Lambert, Qué. J4R 1K5
(514) 672-6710

L'autobus à Margo

JOSSELINE DESCHÊNES

Illustrations:

SUZANNE DURANCEAU

ÉDITIONS HÉRITAGE
MONTRÉAL

à ma nièce Pascale

ECOLIERS

Chapitre 1

UN AUTOBUS MALHEUREUX

Dans un petit bois, au bout de la terre de monsieur Paul, un vieil autobus scolaire s'ennuyait énormément. Un jour, il était tombé en panne en bordure de l'autoroute qui mène à Québec et on l'avait abandonné là parce qu'il était trop vieux, trop usé. Il regardait avec chagrin, à travers les branches sans feuilles, le grand champ vide et, très loin, les maisons où vivaient les enfants qu'autrefois il transportait à l'école.

C'était la fin d'avril et le gros banc de neige sous lequel il avait passé l'hiver venait de fondre. L'autobus était encore tout humide et il frissonnait à cause des courants d'air. Sa pauvre carcasse jaune, écaillée par endroits, était trouée, ses vitres étaient craquées, il n'avait plus de moteur et deux de ses pneus étaient crevés. Il était bien à plat, ce pauvre autobus!

Un matin, des gazouillements le réveillèrent. Il jeta un coup d'oeil dans son rétroviseur et vit avec surprise un couple d'oiseaux faire leur nid sous son toit. Par une fenêtre brisée, les oiseaux allaient et venaient avec de petits cris aigus. Le vieil autobus fut tout heureux d'être de nouveau utile. Les oiseaux construisirent une petite maison toute ronde. Madame oiseau s'y installa pour pondre ses oeufs et Monsieur oiseau s'occupa de la nourrir. L'autobus, curieux, assistait à tout ce va-et-vient, au point qu'il en oubliait ses malheurs.

Le mois de mai fit fleurir des milliers de petites fleurs jaunes, et l'autobus se sentit comme repeint. La venue du printemps, le retour des oiseaux, la naissance des fleurs le distrayaient un peu, mais son terrible ennui ne le quittait pas tout à fait. Chaque fois qu'un autobus scolaire passait au loin et que le vent lui apportait les cris des écoliers, de grosses larmes roulaient sur ses vitres.

Le mois de juin arriva, avec les vacances et le temps des fraises. Mais l'autobus abandonné ne sentait même plus le soleil le réchauffer; il avait l'impression d'être de plus en plus rouillé et vieilli.

Chapitre 2

UN AUTOBUS MAGIQUE!

Un matin de la fin de juin, un matin tout bleu et tout chaud, l'autobus entendit des voix tout près de lui. Il eut comme un frémissement tout le long de sa vieille carcasse délabrée.

– Regarde, grand-père! Un autobus scolaire, là dans le bois!

Une petite fille d'environ dix ans, Margo, mince comme une flûte, avec des yeux bleu ciel et des cheveux noirs et rebelles, venait d'apercevoir l'autobus.

– Il est certainement en vacances, lui aussi, plaisanta son grand-père Adrien

Méthot, un vieil homme aux cheveux blancs et au sourire moqueur, dont les yeux bleus brillaient derrière de petites lunettes rondes.

La petite fille répondit par un rire clair. Elle lâcha la main du grand-père et se mit à courir en direction de l'autobus. Elle en fit le tour en gambadant. L'autobus n'en croyait pas ses phares. De la visite! De la compagnie! Une petite fille dans ce bois du bout du monde. Quelle joie! Il se mit à vibrer de tous ses vieux circuits.

Margo se planta devant la porte de l'autobus, fronça les sourcils et mangea quelques fraises du petit seau qu'elle tenait à la main. L'autobus retenait son souffle. Puis Margo fit une pirouette et repartit en courant vers son grand-père.

"Non, non, se dit l'autobus, il ne faut pas qu'elle reparte! Mais que faire?"

Margo n'avait pas l'intention de s'en aller; elle entraînait son grand-père vers l'autobus en le tirant par la main.

– Allez, viens, grand-père, viens jouer avec moi. On va jouer à voyager. La porte de l'autobus est fermée. Viens l'ouvrir, s'il te plaît? Toi, tu vas faire le chauffeur. Tu veux bien?

Grand-père Adrien avait beaucoup d'affection pour sa petite-fille Margo, mais il se faisait tirer l'oreille.

– Nous étions venus aux fraises, dit-il. Dans le bois on n'en trouve pas beaucoup, et dans les autobus encore moins. Si tu veux manger des confitures, il faut nous hâter.

Ils étaient arrivés devant l'autobus scolaire que grand-père examinait en faisant la grimace.

– Ce n'est pas prudent de jouer dans des véhicules abandonnés, dit-il à Margo.

Mais la fillette insistait:

– Regarde, grand-papa, l'autobus n'a même plus de moteur.

Elle lui montra le capot ouvert par où l'on pouvait voir des chardons pointer leur nez piquant.

"Ah! se disait l'autobus en les écoutant discuter, si je pouvais ouvrir ma porte et les inviter à monter, comme je serais heureux!"

Alors, il mit tant d'énergie et de volonté à vouloir revivre qu'il devint magique. Oui, magique! Sa carcasse vibra, ses pneus se regonflèrent, ses vitres se recollèrent, sa peinture devint brillante, ses clignotants clignotèrent, et sa porte avant s'ouvrit toute grande.

– Oh! . . . Grand-père!

Margo ouvrit la bouche, écarquilla les yeux, recula un peu et serra bien fort la main de son grand-papa. Son seau de fraises tomba par terre; son coeur battait à tout rompre, de peur et de joie à la fois. Il lui arrivait quelque chose de merveilleux, quelque chose pour elle toute seule.

Adrien Méthot en avait vu d'autres dans sa longue vie, depuis sa Gaspésie natale en passant par la guerre, mais un autobus comme ça, jamais il n'aurait cru que ça pouvait exister. Lui aussi, comme Margo, ouvrait de grands yeux.

– Ben . . . ça alors! murmura-t-il, au comble de la stupéfaction.

Mais déjà Margo trouvait que c'était formidable et dans ses yeux bleus il y avait plein de rêves.

– Montons, grand-père! C'est si amusant d'avoir trouvé un autobus magique. Peut-être nous emmènera-t-il en voyage?

Il faut dire que Margo, depuis qu'elle était toute petite, ne rêvait que de voyages. Grand-père lui avait raconté tellement de belles histoires de sa Gaspésie, que Margo ne souhaitait qu'une chose: visiter le pays de grand-père.

Lâchant la main de son grand-papa, elle monta dans l'autobus, se rendit jusqu'à l'arrière, où elle se retrouva nez à bec avec une dame oiseau de mauvaise humeur de voir entrer des gens chez elle. Margo revint donc à l'avant en chantonnant.

L'autobus se dit: "Pourvu qu'elle ne s'en aille pas! Pourvu que le vieil homme ne l'emmène pas loin de moi!"

Mais Margo s'assit à la place du chauffeur.

– Fais-moi faire un beau tour, dit-elle à voix basse, comme si c'était normal de commander à un autobus.

Il est vrai que celui-ci était magique et n'attendait que cela. Lentement, il se mit à bouger.

ECOLIERS

Chapitre 3

VOL-AU-VENT

– Hé là! cria grand-père Méthot . . . Margo! Margo! où vas-tu? Voyons donc, tu ne peux pas partir! Arrête cet autobus!

– Monte vite, grand-papa, viens avec moi, vite vite!

Adrien Méthot sauta sur le marchepied de l'autobus qui bougeait à peine et se retrouva près de Margo cramponnée au volant.

– Tu ne peux pas rester là, ma fille, lui dit-il, va t'asseoir sur ce siège à côté, je vais prendre le volant. Nous ne savons pas comment se comporte ce drôle d'autobus. Il faut être prudent!

Il prit la place de Margo. Alors l'autobus, toujours docile, referma sa porte et se mit à rouler lentement entre les arbres du petit bois. Il sauta d'un bond léger une grosse souche qui lui barrait la route. Grand-père et Margo retinrent leur souffle un instant. L'autobus continuait maintenant son chemin à travers le champ de monsieur Brissette où il dispersa quelques vaches paisibles. Il se dirigea ensuite vers le pont de madrier du ruisseau à Paul, le traversa et prit le Rang Huit vers l'est, en direction de la grande forêt. Il y entra par le petit chemin de sable. Margo, ravie de sa balade, mangeait les quelques fraises qui restaient au fond du seau. Les oiseaux, affolés par le départ de l'autobus, entraient et sortaient par une fenêtre ouverte en poussant des cris effarouchés.

Grand-père commençait à être un peu inquiet.

– Il faudrait que cet autobus s'arrête. Sinon, Dieu sait où nous nous retrouverons, dit-il.

Aussitôt l'autobus s'arrêta.

– Tu vois, dit Margo en riant, comme il est gentil cet autobus: il fait tout ce qu'on lui demande.

Grand-père fit stationner l'autobus à l'abri des arbres et se mit à réfléchir. Mais Margo n'avait pas besoin de réfléchir, elle savait déjà ce qu'elle voulait. Elle proposa donc à son grand-père:

– Si nous allions faire un beau voyage dans ton pays, en Gaspésie! Je suis certaine que notre autobus nous y mènerait. C'est les vacances! Tu m'as dit tant de fois que tu m'emmènerais là-bas. Grand-père, partons tous les deux!

– Ma petite Margo, nous ne pouvons pas partir comme ça, pour aller si loin. Ça n'a pas de bon sens!

– Pourquoi? dit Margo simplement.

Adrien Méthot sentit une petite folie se réveiller au fond de lui-même: le désir de revoir le pays de sa jeunesse et de le montrer à Margo. Elle avait un peu raison, la petite. Qu'est-ce qui les empêchait de partir tous les deux? Rien! Ils vivaient tout seuls depuis la mort des parents de Margo. C'est lui qui prenait les décisions maintenant.

– Tu as raison, dit-il enfin. Nous allons partir tous les deux; nous allons partir pour la Gaspésie!

Margo lui sauta au cou, et l'autobus se

mit à clignoter de tous ses feux. Ils en descendirent, lui promettant de revenir plus tard dans la soirée. Il fallait faire les bagages. Avant de quitter son autobus, Margo alla se planter devant et, regardant l'inscription ÉCOLIERS au-dessus du pare-brise, elle suggéra:

– Il faudrait te trouver un autre nom, un nom pour toi tout seul. "Écoliers", ça ne convient pas à un autobus en vacances.

Une fois seul, l'autobus magique gambada de joie. Pensez donc, il allait partir en voyage avec la petite fille et son grand-père! Il volait comme un oiseau. Le vent de l'été le caressait doucement. Il se chercha un nom gai, un nom léger.

– Vol-au-Vent! Je suis Vol-au-Vent l'autobus magique! Petits oiseaux, mes amis, venez-vous en voyage avec nous?

Ses petits locataires, qui partaient pour le Sud chaque automne, n'avaient pas très envie de voyager durant l'été. Ils déménagèrent donc dans un gros sapin tout près.

Chapitre 4

VOL-AU-VENT PART EN VOYAGE

Monsieur Méthot et Margo habitaient une maisonnette toute blanche, non loin de la grande forêt, dans le Rang Huit de Saint-Théodore. Ils avaient un petit coin de jardin et une chatte nommée Charlotte. Une petite chatte futée avec des poils de toutes les couleurs. Grand-père l'appelait la chatte "caille".

– Que vas-tu faire de Charlotte pendant notre absence? demanda grand-père à Margo en arrivant à la maison.

– Mais elle vient avec nous, grand-père!

Jamais Margo n'avait imaginé se séparer de sa Charlotte. Grand-père Adrien sourit. Quel caractère elle avait cette petite bonne femme! Elle n'avait peur de rien et elle l'entraînait, lui, un vieux bonhomme sérieux, dans cette aventure fantaisiste!

À la brunante, ce même soir, Adrien Méthot, sa grosse valise à la main, suivi de Margo et de sa chatte, ferma à clé sa petite maison blanche et partit en direction de la forêt où les attendait l'autobus magique. Grand-père avait l'impression de faire une grosse folie mais il était trop tard pour changer d'idée. Débordante de joie, Margo chantait et dansait tout le long du chemin.

Mais en approchant de la forêt, elle se sentit un peu inquiète. Si son autobus magique n'était plus là? S'il avait disparu? L'autobus s'inquiétait lui aussi: il craignait que Margo ne soit pas au rendez-vous. Il avait même allumé ses feux arrière pour être vu de loin. Lorsque Margo l'aperçut, elle courut vers lui. Il ne faisait plus très clair, mais elle réussit à lire le nom qu'il s'était choisi: Vol-au-Vent.

– Quel joli nom! s'exclama-t-elle.

Grand-père arrivait avec sa grosse valise, un peu essoufflé.

– Grand-papa, je te présente Vol-au-Vent.

– Vol-au-Vent, bonsoir, dit grand-père en riant. Je suis bien content que tu sois là, car j'ai bien hâte de retrouver ma chère Gaspésie.

Il fit un grand salut à Vol-au-Vent, et Vol-au-Vent lui rendit son salut avec ses phares. Margo et son grand-père montèrent dans l'autobus. Il s'installa au volant et Margo s'assit près de lui, à droite, avec sa chatte sur les genoux.

– Tu n'as qu'à lui dire où tu veux aller, souffla Margo à son grand-père.

Adrien Méthot se sentait soudain gêné de commander l'autobus. Mais au point où il en était!

– Nous allons d'abord vers la ville de Québec, dit-il, en déployant sa grande carte du Québec. En route!

Le véhicule ferma sa porte, recula, roula quelques minutes sur le chemin de sable. Puis l'autobus magique s'éleva doucement dans les airs et s'envola au-dessus des maisons en direction de Québec. Une grosse lune ronde et rose à peine levée eut bien du mal à garder son sérieux devant l'étrange objet volant qui passait sous son nez de lune.

Nos amis volèrent donc sans se presser dans la nuit de juin et se retrouvèrent en vue de Québec à la barre du jour. Mais la barre du jour en juin, c'est encore la nuit pour les gens; ils dorment tous. Personne ne vit l'autobus traverser le fleuve au-dessus du pont de Québec et remonter le boulevard Champlain pour venir atterrir sur les Plaines d'Abraham, juste sur le Cap Diamant.

Margo, que l'excitation du voyage avait empêchée de dormir, bâillait sans arrêt. Aussitôt la porte ouverte, Charlotte sauta dans l'herbe prête à chasser son petit déjeuner. Grand-père ouvrit un grand thermos de chocolat chaud qu'il dégusta avec Margo en contemplant le soleil qui se levait à l'est pendant que la lune disparaissait à l'ouest. Après avoir fait un petit somme, Margo s'en alla à travers les Plaines à la recherche de sa Charlotte toujours à la chasse.

Chapitre 5

MARGO ET LE CAPITAINE

C'est là que, entre deux petits rayons de soleil, elle rencontra le Capitaine. Il dormait sur une butte, sa grosse valise à côté de lui. Margo lui toucha l'épaule:

– Monsieur, monsieur! Ne restez pas là. Venez avec nous. Vous pourrez dormir dans mon autobus.

En s'éveillant, le capitaine barbu aperçut le sourire de Margo penchée sur lui. Il sentit aussi qu'on lui griffait le cou. Il se redressa, attrapa Charlotte et, de sa main libre se frotta les yeux, ahuri. Il ramassa sa grosse casquette de capitaine et se leva:

– Fillette, c'est à toi, cet animal? dit-il d'une grosse voix bourrue en lui tendant la chatte.

– C'est Charlotte, monsieur. Et là-bas, c'est Vol-au-Vent, dit-elle en lui montrant l'autobus jaune sur le Cap. Nous voyageons, grand-père et moi. Et vous, monsieur, vous voyagez aussi?

– Moi, ma petite fille, je m'en vais à Canne-de-Roches.

– Où c'est Canne-de-Roches? C'est loin? demanda Margo.

– C'est chez moi, répondit le vieux monsieur, et j'y retourne.

Il fit un geste vers l'est, vers le fleuve. Margo insista:

– Si vous voulez, on peut aller vous conduire chez vous avec notre autobus.

On s'en va en Gaspésie. C'est peut-être sur votre chemin?

Le Capitaine se mit à rire:

– Tu es bien gentille, ma petite fille. Je me présente: Capitaine Ti-Jean Boulanger. Bien sûr que c'est sur mon chemin. Canne-de-Roches, c'est en Gaspésie, à deux pas de Percé. Comment t'appelles-tu, fillette?

– Margo, Margo! où es-tu? retentit soudain la voix du grand-père tout près.

– C'est mon grand-père, dit Margo, venez.

Elle courut au-devant de son grand-papa et lui dit sans reprendre son souffle:

– Je suis ici, grand-papa, j'ai rencontré un vrai capitaine qui s'en va en

Gaspésie comme nous, il est tout seul et à pied . . . pouvons-nous l'amener avec nous?

Quand elle se tut enfin, elle leva les yeux sur son grand-père qui ne l'écoutait plus. Il regardait approcher le Capitaine comme s'il cherchait à se rappeler quelque chose. Puis son visage s'éclaira et il partit d'un grand éclat de rire.

– C'est pas vrai! Pas le Capitaine Ti-Jean Boulanger! Ti-Jean, c'est toi?

Le capitaine s'était arrêté, surpris. Puis il se mit à rire à son tour et s'élança en criant:

– Adrien, Adrien Méthot de L'Anse-à-Beaufils!

Margo les regardait l'un après l'autre, les yeux ronds. Ils se connaissaient . . . ils ne s'étaient pas vus depuis quarante ans!

Ils se retrouvaient sur les Plaines d'Abraham, au lever du soleil, grâce à un autobus magique!

Quand le Capitaine apprit l'histoire de l'autobus, il rit de plus belle et cligna de l'oeil à l'adresse d'Adrien.

– Cher Adrien, tu as toujours été un peu sorcier sur les bords! Cette petite fille, ajouta-t-il en prenant le menton de Margo, elle a de qui tenir, hein!

Le Capitaine demeurait toutefois un peu méfiant envers Vol-au-Vent. Il l'examina sur toutes les coutures.

– Vous êtes bien sûr que ça roule, demanda-t-il quand il aperçut le vide sous le capot.

Vol-au-Vent, vexé, se disait: "Tu vas voir, Capitaine, lorsque je vais te faire traverser le fleuve, tu ne douteras plus de mes pouvoirs magiques!"

– Monsieur le Capitaine, demanda Margo, voulez-vous venir avec nous faire un tour dans Québec?

– Oh! non, ma petite fille. Puis, baissant la voix: je vais vous confier un secret. Je me suis enfui de l'hospice où l'on m'avait installé pour finir mes vieux jours. Moi! le capitaine Ti-Jean! Je n'ai rien dit pendant quelques mois, mais j'avais ma petite idée. Quand l'été est revenu, je me suis dit: c'est le temps ou jamais. Je me suis donc enfui cette nuit et j'ai bien l'intention de ne pas retourner là-bas. Je vais donc vous attendre ici.

Adrien sourit à son vieil ami retrouvé:

– Ne crains rien, nous allons t'aider. Mais, pour commencer, nous allons conduire Vol-au-Vent ailleurs, car il risque de nous faire remarquer. Allons jusqu'au stationnement là-bas.

Ils montèrent dans le véhicule qui les mena par petits bonds jusqu'au terrain de stationnement, où il se rangea bien sagement entre deux gros autobus de touristes. Le Capitaine s'installa confortablement sur la banquette arrière et ramena sa casquette sur ses yeux. Charlotte se coucha en rond sur ses genoux et tous deux s'endormirent paisiblement dans l'autobus magique.

Chapitre 6

DOMAGAYA

Pendant ce temps, Margo et son grand-père avaient descendu à pied la Grande Allée jusqu'au Parlement. Tout était bien calme à cette heure du matin. Ils se contentèrent donc de faire le tour des édifices. Ce qui frappa le plus Margo, ce fut le monument des Amérindiens devant le Parlement. Elle restait là, la bouche ouverte, à regarder la statue d'un Amérindien armé d'une espèce de lance (nigog) qu'il pointait sur un gros poisson sautant dans le fond d'un bassin. Elle leva les yeux. Juchée sur un énorme socle, toute une famille d'Amérindiens s'ennuyaient ferme, prisonniers du bronze verdâtre. Ils regardaient tous l'horizon et Margo se tordit le cou pour se rendre compte que leur regard allait vers les Laurentides.

Elle grimpa sur le bord du bassin, avec un sourire malicieux au coin des lèvres:

– Dites, monsieur, est-ce que tu aimerais venir en voyage avec nous à Canne-de-Roches?

L'Indien remua la tête, posa sa lance et regarda Margo gentiment:

– Où est-ce, Canne-de-Roches?

– C'est en Gaspésie, répondit Margo, qui trouvait tout naturel de bavarder avec une statue.

– Je vais en parler à ma famille, continua l'Amérindien en montrant le groupe sur le socle au-dessus de lui. Reviens ce soir, petite fille, nous te donnerons une réponse. J'ai tout dit et c'est bien!

– Je m'appelle Margo, dit la gamine, et tot . . . pardon . . . vous?

– Domagaya, répondit l'Amérindien en souriant, alors qu'il reprenait sa pose de statue.

Margo sauta en bas du bassin au moment où grand-père revenait des alentours.

– Que fais-tu devant ces statues? questionna-t-il, intrigué.

– Ça t'ennuierait, mon petit grand-papa, si nous avions d'autres passagers à bord de l'autobus?

Adrien Méthot fronça les sourcils:

– D'autres passagers! Quels passagers? dit-il en regardant autour d'eux.

Mais il n'y avait personne, à part eux et les statues. Le grand-père leva la tête vers l'Amérindien pêcheur; il lui sembla voir la statue faire un clin d'oeil . . .

– Margo! Est-ce que par hasard . . .? Grand-père en perdait la voix. L'autobus, maintenant les statues . . .

– Grand-père, expliqua Margo, ils s'ennuient ces Amérindiens. C'est toi qui m'as raconté comment ils vivaient avant que les hommes blancs n'arrivent dans ce pays. Tu m'as dit qu'ils étaient libres, que tout le pays leur appartenait. Quand je les ai vus immobiles sur ce monument, je les ai invités à partir avec nous. Nous aidons le capitaine à s'enfuir et je voudrais que nous aidions aussi mes amis indiens. Tu n'es pas fâché, hein, grand-père? ajouta-t-elle d'une toute petite voix.

– Viens, ma petite fille, allons nous

asseoir quelque part pour déjeuner et je vais y penser. Tu sais, c'est un peu surprenant ce qui arrive à ton vieux grand-père en si peu de temps.

Margo mit sagement sa petite main dans celle du vieillard, qui l'entraînait hors du parc, mais elle se retourna une dernière fois et fit un signe d'amitié à Domagaya.

Chapitre 7

MARGO VISITE QUÉBEC

Grand-père et Margo reprirent la Grande Allée, passèrent sous la porte Saint-Louis, et descendirent la rue Saint-Louis jusqu'à la rue du Trésor. Grand-père emmena Margo manger de bonnes crêpes dans un joli restaurant plein de bonnes odeurs du matin, puis après un copieux petit déjeuner, ils descendirent la Côte de la Montagne vers la Basse-Ville. Grand-père montra à Margo les vieilles maisons rénovées. En parcourant les rues étroites de la Place Royale, Margo avait l'impression d'être dans un autre monde. Grand-père lui raconta comment Champlain avait installé ici la première Habitation de Québec et combien avaient été difficiles pour ces gens venus de France, les rudes hivers québécois.

Margo, en se promenant le nez en l'air, aperçut un grand château, un château qui semblait sorti de ses livres de contes.

– C'est un vrai château, grand-père?

– Pas vraiment, répondit-il, c'est un hôtel, mais on peut y mener une vie de château, si on est assez riche.

Le funiculaire – une sorte d'ascenseur qui impressionna beaucoup Margo – les déposa près du Château Frontenac, où des calèches attendaient. Margo tira la manche de grand-père. Il comprit et mademoiselle Margo Méthot eut droit à son tour de Québec en calèche, au trot d'un petit cheval gris.

Ils rentrèrent en fin d'après-midi avec un gros sac de provisions. Ils trouvèrent le Capitaine et Charlotte assis sur une grosse valise en face de l'autobus, pas mal vexés qu'on les ait oubliés si longtemps. Tous mouraient de faim; on se retrouva dans l'autobus pour pique-niquer.

Chapitre 8

LES STATUES MARCHENT

Après le repas, Margo, qui avait de la suite dans les idées, s'approcha de son grand-père et lui demanda:

– Allons-nous emmener mes amis amérindiens, grand-papa?

– Quels Amérindiens? s'inquiéta le Capitaine.

– Je vais essayer de t'expliquer... commença Adrien Méthot.

– C'est simple, coupa Margo aussitôt; ce matin au Parlement, j'ai vu des Amérindiens très gentils qui s'ennuyaient enfermés dans leurs statues, et je leur ai offert de venir avec nous. Voilà!

Le Capitaine Ti-Jean, bouche bée, regarda tour à tour Adrien et sa petite-fille. Qu'était donc cette gamine qui voyageait dans un autobus magique et qui réveillait les statues pour les inviter à lui tenir compagnie? Il croyait rêver. N'eût été la présence de son vieil ami, le Capitaine aurait certainement pris ses jambes à son cou et serait retourné à l'hospice.

"Allons! un peu de folie ne me fera pas de tort, se dit tout de même le Capitaine Ti-Jean."

– Du moment que vous m'emmenez à Canne-de-Roches, moi, je n'ai rien contre les Amérindiens, déclara-t-il finalement.

– Va chercher tes amis, soupira grand-père, résigné lui aussi.

La fillette s'élança en direction du Parlement. C'était l'heure du souper et la place était calme. Elle grimpa sur le bord du bassin:

– Monsieur Domagaya, monsieur Domagaya! C'est moi, Margo! Je viens vous chercher. Mon grand-père est bien content que vous veniez avec nous.

Domagaya se tourna vers Margo:

– Nous acceptons, répondit-il simplement.

Il fit un signe aux autres, au-dessus de lui. La jeune femme se leva, arrangea ses vêtements et prit son petit enfant dans ses bras. Le jeune homme se leva aussi, s'étira, posa son arc sur son épaule et mit la flèche dans son carquois. Ils descendirent tous derrière le chef, grand et majestueux. La famille amérindienne entourait maintenant Margo, fort impressionnée. Domagaya lui tendit la main en souriant:

– Allons, petite fille, ne crains rien. Nous sommes des Algonquins. Nous te remercions de nous conduire vers la liberté. Nous te suivons.

Margo retrouva son sourire. Prenant la main de Domagaya le pêcheur, elle remonta la Grande Allée accompagnée de ses nouveaux amis. Chemin faisant, ils rencontrèrent des gens, mais personne ne semblait remarquer le groupe étrange, au grand étonnement de Margo. Domagaya lui chuchota alors:

– Nous ne sommes visibles que pour toi, petite!

Grand-père vit donc revenir Margo

toute seule, mais une Margo au visage rayonnant de joie.

– Pourquoi tes amis ne sont-ils pas venus? dirent d'une même voix Grand-père et le Capitaine.

– Mais ils sont là! répondit Margo. Ils sont invisibles, mais moi je les vois, ajouta-t-elle avec fierté.

Le Capitaine et Adrien échangèrent un petit clin d'oeil. Margo haussa les épaules.

Enfin, grand-père annonça le départ, et Margo installa ses amis dans l'autobus. Le chef prit place avec sa femme et son petit. Margo se glissa près de son ami Domagaya avec Charlotte. Le Capitaine était devant avec grand-père.

Vol-au-Vent se disait: "J'espère pouvoir m'envoler facilement avec tout ce monde à bord. C'est un vrai voyage organisé qu'on me fait faire là."

Après avoir traversé les Plaines d'Abraham, l'autobus magique franchit le fleuve, pour se retrouver à Lévis quelques minutes plus tard. Grand-père le fit se poser sur la route près du fleuve, et l'on se dirigea finalement vers la Gaspésie.

Chapitre 9

AVENTURE AU BIC

Après une nuit quelque part sur une plage du côté de Saint-Jean-Port-Joli, Vol-au-Vent reprit la route. Il ne roulait pas, il volait presque. Les noms évocateurs de la Côte chantaient dans les oreilles des voyageurs: Les Aulnaies, La Pocatière, Rivière-Ouelle, Kamouraska.

– Tiens, c'est un drôle de nom! fit remarquer Margo à son ami Domagaya.

– Ce nom signifie: "Là où il y a des joncs au bord de l'eau", expliqua-t-il.

Domagaya lui apprit le sens des autres noms indiens rencontrés sur la route.

Cacouna veut dire “contrée du porc-épic”; Métis: “bouleau à canot ou trembles”; Matane: “viviers de castors”, et Rimouski: “terre de l’orignal”.

Déjà l’autobus magique avait fait un bon bout de chemin et on arrivait à Bic. Capitaine Ti-Jean raconta à ses amis la légende du Bic: “Lors de la création du monde, l’ange chargé d’orner la terre de ses reliefs arriva devant Bic, en fin de journée, avec un surplus de montagnes et d’îles dans son panier. Il s’en débarrassa d’un seul coup, composant ainsi le paysage extraordinaire au milieu duquel le village de Bic a niché ses maisons.”

L’autobus survola les îles et se posa à la demande de Margo sur un îlet appelé Bicquet. On y descendit pour y passer l’après-midi et la nuit. Les Amérindiens se réunirent, puis Domagaya annonça à Margo que toute la famille avait l’intention de parcourir la région. Ce coin de pays leur plaisait beaucoup et peut-être y resteraient-ils. Un grand canot blanc apparut sur la plage, les Algonquins y prirent place et, dans l'écume des petites vagues, ils partirent... en saluant Margo, attristée de voir s'éloigner ses amis.

Pour chasser son chagrin, elle décida d'aller visiter les îles avec son autobus. Les voici donc survolant la Baie du Bic et se posant ici et là selon la curiosité de Margo. Sur la plage d'un de ces îlots, à marée basse, elle aperçut tout à coup l'entrée d'une grotte dans les rochers.

– Attends-moi, dit-elle à Vol-au-Vent, j'ai bien envie de voir où ça mène.

Elle se faufila entre de grosses roches et disparut bientôt. Des minutes et des minutes passèrent. Vol-au-Vent était un peu inquiet, surtout quand il sentit l'eau lui chatouiller les pneus. La marée montait. Et Margo qui ne revenait pas!

Quand l'autobus eut de l'eau jusqu'au milieu des pneus, il se mit à klaxonner pour rappeler l'imprudente. Il l'entendit soudain crier:

– Vol-au-Vent, Vol-au-Vent! Va vite chercher grand-père! Je me suis coincé le pied et l'eau monte, vite, vite!

Vol-au-Vent s'arracha de l'eau dans une grande gerbe de bulles et disparut au sommet de l'île.

À ce moment, apparut devant l'îlot, le grand canot blanc des amis de Margo. Il s'approcha des rochers où Margo était retenue prisonnière. Domagaya sauta dans l'eau, courut vers la grotte et ramena la petite fille dans ses bras. Bien en sécurité dans le canot blanc, Margo vit passer au-dessus d'eux l'autobus qui ramenait grand-père et le Capitaine. Elle fit des signes désespérés à son grand-papa qui aperçut le canot et ses occupants;

pour la première fois, les Amérindiens devenaient visibles à d'autres qu'à Margo.

Ils se retrouvèrent tous sur la plage du Bicquet autour d'un bon feu; on mangea les poissons pêchés par la famille indienne. Grand-père n'en finissait plus de remercier la famille algonquine d'avoir sauvé sa petite-fille.

La nuit était tombée, la brise soufflait du fleuve et l'on entendait comme des gémissements, des plaintes venant des îlots. Margo avait peur. Le chef raconta que l'îlet où Margo était restée prisonnière plus tôt s'appelait "îlet du Massacre". Avant la venue de Jacques Cartier en Canada, les Iroquois avaient enfermé des Indiens Micmacs dans la grotte de l'île et les avaient massacrés. Jamais après cela les Micmacs ne voulurent retourner dans cet îlot pour y chasser.

Margo, que toutes ces émotions avaient épuisée, s'endormit sur les genoux de son grand-père bien avant la fin de l'histoire . . .

Le lendemain matin, Domagaya annonça à ses amis que lui et sa famille n'iraient pas plus loin. Ce merveilleux pays allait devenir celui de leur liberté retrouvée. Ils montèrent dans leur grand canot blanc et Margo, le coeur gros, les vit disparaître dans un grand banc de brume tout lumineux.

Chapitre 10

EXPLOITS DE VOL-AU-VENT

Rimouski, Métis-sur-Mer, Matane, Les Méchins.

– Autrefois, dans cette région, commença grand-père pour amuser Margo, habitait le géant Outikou. Les Indiens Micmacs disaient qu'il était le Génie du Mal. Ils en avaient très peur parce que Outikou arrachait les plus gros arbres de la forêt pour s'en faire des cannes avec lesquelles il les frappait.

Margo, regardant sa carte, vit qu'on arriverait bientôt à Cap-Chat.

– Cap-Chat, c'est une ville pour toi,

Charlotte. Tu vas bien t'y amuser. À l'entrée de la ville, on y voit un rocher qui a la forme d'un gros chat assis.

– Regarde, grand-père, regarde le chat, juste devant nous. Charlotte aimerais-tu avoir un gros ami comme celui-là? ajouta-t-elle tout bas pour son chat qui lui répondit par un étrange miaulement.

On s'arrêta pour admirer le paysage, et Margo, accompagnée de Charlotte, se dirigea vers le rocher. Ce qu'il était fascinant, ce gros minou de pierre!

– Allons, Charlotte, dis à ce gros chat de venir se promener avec nous.

"Miaou, miaou", fit Charlotte en frôlant la grosse pierre. On entendit alors un ronronnement énorme. Charlotte recula, le poil hérissé, et Margo leva la tête. Des yeux dorés, grands comme des lunes d'été, la fixaient. Le gros chat de pierre bâilla et Margo put admirer ses crocs longs comme des lances et qui brillaient au soleil.

Elle réalisa que ce n'était peut-être pas une bonne idée de vouloir rendre la liberté au chat de Cap-Chat.

– Non, non, cria-t-elle, reste comme tu étais, chat; retourne dans ta pierre, tu es trop gros!

Les ronronnements cessèrent et le chat se figea de nouveau.

"Ouf! se dit Margo, il faudra que je réfléchisse avant d'agir." Elle reprit sous son bras Charlotte toute tremblante et retourna à l'autobus où l'attendaient Grand-père et le Capitaine Ti-Jean.

– Et alors, ce chat? lui dit grand-père.

– Oh! tu sais, grand-papa... ce rocher ne ressemble pas tellement à un chat.

Passé Sainte-Anne-des-Monts, le chemin longe le bord de la mer. C'est une petite route merveilleuse accrochée à la montagne, et les grandes vagues du large viennent souvent l'éclabousser. On y rencontre Mont-Saint-Pierre, Mont-Louis, Anse-Pleureuse, Gros-Morne.

C'est quelque part par là que Vol-au-Vent commença sa série d'exploits. Il avait dû beaucoup pleuvoir les jours d'avant, car la montagne ruisselante d'eau laissait glisser de grands morceaux de terre où étaient accrochés des arbres. C'est ainsi que juste sous le nez de l'autobus qui s'arrêta pile, il se produisit un grand éboulis. La route se trouva bloquée.

Bien sûr, Vol-au-Vent n'avait à faire qu'un petit bond pour continuer sa route, mais il y avait beaucoup de voitures derrière lui qui ne pouvaient pas voler, elles. Les touristes qui suivaient l'autobus purent alors assister à un étrange spectacle. Ils virent un autobus scolaire se prendre pour un bulldozer: pousse par ici et pousse par là, il nettoyait la route et faisait basculer dans la mer toute la boue tombée de la montagne.

Grand-père, le Capitaine et Margo se faisaient un peu secouer. Mais en quelques minutes la route fut ouverte. Tout fier de lui, l'autobus à Margo reprit la route, suivi par les autres voitures qui se tenaient à bonne distance de ce curieux véhicule.

Quelques milles plus loin, grand-père décida d'arrêter sur une longue plage pour se reposer un peu. C'est là que Margo trouva sa première étoile de mer; elle commença aussi une jolie collection de galets. Le Capitaine et Adrien Méthot étaient déjà partis bien loin pour une promenade, suivis de Margo qui marchait le nez presque dans les pierres de la grève à la recherche de coquillages et de trésors. L'autobus, à l'autre bout de la plage, prenait un petit bain de roues tandis que Charlotte dormait sur le capot.

C'est alors que trois jeunes gens apparurent sur la plage. Ils rôdèrent un moment autour de l'autobus abandonné, examinèrent les alentours; finalement le Frisé, un grand blond qui semblait le chef, déclara:

– Eh! les gars! si on allait faire un tour dans cette vieille carcasse.

Vol-au-Vent en entendant cela frémit de colère, mais ne bougea pas.

Ils montèrent à bord. Le Frisé s'installa au volant et essaya de faire démarrer l'autobus. Peine perdue. Vol-au-Vent faisait le mort.

– C'est une vieille ferraille, cet autobus, commentèrent les garçons.

Charlotte, réveillée par le bruit, s'étira de tout son long.

– Oh! le beau petit chat, dit un garçon, en attrapant Charlotte par la queue, ce qui la fit miauler de douleur.

Cette fois, Vol-au-Vent était furieux. C'en était trop! Il recula à toute vitesse devant les jeunes gens surpris, et se prépara à foncer sur eux. Ils n'eurent que le temps de prendre leurs jambes à leur cou. Mais Vol-au-Vent, qui était très fâché, les poursuivit sur la plage jusqu'à ce qu'ils eurent disparu derrière les dunes.

L'autobus retourna alors tranquillement à son bain de roues et Charlotte, rassurée, reprit sa place sur le capot. C'est ainsi que les retrouvèrent Margo, grand-père et le Capitaine en revenant de leur promenade. Toutefois, ils se demandèrent d'où pouvaient bien venir les marques de pneus zigzaguant sur la plage.

Chapitre 11

VOL-AU-VENT SAUVE MARGO !

À Gaspé, le Capitaine Ti-Jean Boulanger commença à montrer des signes d'impatience. Il avait hâte d'arriver. Pour lui faire plaisir, l'autobus fit un petit saut par-dessus la Baie de Gaspé. Margo aurait bien voulu voir la croix plantée par Jacques Cartier. Mais pour le moment on filait vers Percé, vers Canne-de-Roches, le village du Capitaine.

On s'arrêta tout de même quelques minutes au Coin du Banc pour y admirer la très longue plage qui longe toute la baie de Barachois. Quelle belle plage! Margo sautait de plaisir devant les vagues immenses qui venaient en rugissant s'écraser sur les galets. Charlotte en avait le poil tout hérissé.

– Grand-père, s'écria soudain Margo, en pointant du doigt vers le large, juste au tournant des hautes falaises de la côte, regarde il y a un bateau gros comme une montagne qui vient vers nous!

Grand-père et le Capitaine se retournèrent en même temps pour apercevoir le phénomène. Ils éclatèrent de rire. Margo était vexée. Elle ne voyait pas ce qu'elle avait dit de drôle.

– Ne sois pas fâchée si nous rions, fillette, lui dit gentiment le Capitaine, mais le gros bateau qui vient vers nous, c'est le Rocher Percé.

– Le Rocher Percé! Nous le voyons d'ici!

Margo en était toute surprise, car on n'était pas encore à Percé. Le capitaine continua:

– Tu sais, tu as tout de même raison; vu d'ici, il ressemble à un bateau gros comme une montagne.

Margo se mit à rêver en contemplant le grand bateau; elle imagina qu'il avait de belles voiles blanches qui claquaient au vent. Sans s'en rendre compte elle avançait vers la mer, vers son rêve; une vague plus haute que les autres la renversa et l'entraîna. Margo n'eut même pas le temps de crier. Mais Vol-au-Vent, à quelques pieds de là, n'avait fait qu'un bond dans l'écume de la vague et il cueillit Margo sur son toit.

Vol-au-Vent sortit de la mer avec Margo toute ruisselante d'eau et comme étourdie. La gamine se redressa ne comprenant pas ce qui lui était arrivé. Elle se laissa glisser dans les bras de son grand-père qui en avait les larmes aux yeux. Le rude Capitaine lui-même ne put cacher son émotion.

Quel exploit! Vol-au-Vent était vraiment un magicien. Il avait sauvé Margo! Il était maintenant tout trempé et inconfortable, mais tellement fier! Comme on était tout près de Canne-de-Roches, on décida de s'y rendre sans tarder.

L'autobus à Margo filait comme le vent vers le village du Capitaine. Escaladant les montagnes, traversant les vallées, ils arrivèrent enfin à la maison du père François, le vieil ami du Capitaine Ti-Jean Boulanger.

Une maison bleue comme le ciel les accueillit. Le père François et sa femme Corinne n'en finissaient plus de s'exclamer en reconnaissant leur vieil ami le Capitaine. Que de choses on aurait à se raconter! Mais pour le moment, on s'occupa de Margo toute trempée et toute secouée par sa baignade forcée. Une fois au sec, les petits-enfants du père François, Daniel, Myriam, Martin et David l'entraînèrent dans leurs jeux et, bien sûr, ils se retrouvèrent tous dans l'autobus qui croyait être revenu au bon temps de ses voyages à l'école.

Après que le Capitaine eut fait le récit de sa fuite, toute la famille se mit d'accord pour le garder. La nuit trouva tout le village réuni pour la fête. Dans la cour de la maison bleue, Vol-au-Vent veillait, un phare éteint, l'autre allumé, au cas . . .

Chapitre 12

LES VOLEURS DE PERCÉ

Canne-de-Roches flottait dans la brume rose lorsque, le lendemain matin, très tôt, grand-père et Margo firent leurs adieux à la famille du père François et à leur ami le Capitaine.

– Bon voyage, ma petite Margo! Je te remercie mille fois de m'avoir ramené chez nous. Merci aussi à ton autobus magique, ajouta-t-il en baissant la voix.

Quelques minutes plus tard, l'autobus à Margo arrivait au Pic de l'Aurore. Là, tout en bas, Percé, son village blanc, ses deux baies, son quai et surtout son grand bateau, tout doré, le Rocher. Derrière, sur la mer, telle une immense galette verte, l'île de Bonaventure.

– Allons nous installer dans un coin tranquille, dit grand-père Adrien.

Vol-au-Vent sauta du Pic de l'Aurore sur la montagne aux Trois-Soeurs et atterrit finalement sur le dos du Rocher lui-même, au milieu des mouettes affolées.

Margo était morte de rire, mais grand-père ne trouvait pas cela drôle du tout.

– Tu vas nous faire remarquer, marmonna-t-il à l'autobus.

Mais Vol-au-Vent avait trouvé que le Rocher Percé était le seul endroit qui convenait à un roi. Et il était le roi des autobus magiques.

– Réfléchis, Vol-au-Vent, intervint Margo. Tu voles, mais pas nous. Comment irons-nous nous promener dans le village? Et puis regarde, cette pauvre Charlotte est morte de peur.

Charlotte, entourée de gros oiseaux blancs, miaulait à fendre l'âme. L'autobus se décida alors à quitter le Rocher pour se poser sur la plage non loin du quai. Beaucoup de touristes arrêtés au Belvédère crurent avoir une vision, et croyez-moi, ce n'était pas la dernière qu'ils auraient cette journée-là!

De la plage, grand-père ramena l'autobus vers le village, où il passerait inaperçu. Vol-au-Vent n'était pas content, oh! mais pas content du tout; il faisait grincer ses pneus de colère.

Margo et grand-père quittèrent donc le grincheux et allèrent prendre un bon petit déjeuner. Quelle belle journée! Il était près de dix heures maintenant et grand-père s'attardait devant son café alors que Margo n'arrivait pas à détourner ses yeux du Rocher Percé.

Pendant ce temps, à quelques rues de là, se déroulait un drame: sur le coup de dix heures, trois individus avaient pénétré dans la banque de Percé, avaient volé l'argent des caisses, puis étaient repartis en toute hâte. Une fois dehors, ils cherchèrent une place où se cacher. La porte de l'autobus était ouverte. Ils y montèrent rapidement et se dissimulèrent derrière les sièges. Personne ne les avait vus monter et ils étaient fort contents de leur coup. "Nous sortirons quand tout sera bien calme", se dirent-ils.

À voix basse, ils se mirent à compter leur argent. Vol-au-Vent n'en croyait pas ses oreilles. Des bandits chez lui! Et alors qu'il était de mauvaise humeur en plus! Sans bruit il referma sa porte et démarra si brusquement que les vilains se cognèrent le nez contre les sièges. Avant qu'ils n'aient eu le temps de se relever, Vol-au-Vent avait déjà pris son envol et se dirigeait sur le Rocher. Il y atterrit avec fracas, ouvrit sa porte et se secoua très fort. Les voleurs criaient: Arrête! Arrête!

Ils tombèrent tous les trois parmi les mouettes, leur sac s'ouvrit et les billets de banque se dispersèrent un peu partout. Ils découvrirent avec stupeur qu'ils étaient sur le Rocher Percé. Pris de panique, ils cherchèrent à retourner dans l'autobus. Celui-ci leur ferma la porte au nez et repartit aussi vite, abandonnant les bandits sur le Rocher.

Au village, la nouvelle du vol avait attiré tout le monde dehors et l'autobus volant ne passa pas inaperçu. Les commentaires pleuvaient:

– Vous avez vu l'autobus!

– Mais non, c'est un hélicoptère!

– Je vous dis que c'est un autobus! Un autobus scolaire!

– Il paraît que les voleurs sont là-haut sur le Rocher!

– Mais qui conduit l'autobus volant?

– Personne!

– Mais voyons, vous n'êtes pas sérieux!

C'est ce qu'entendirent grand-père et Margo en sortant du restaurant.

– Il va nous créer des ennuis, ce fichu autobus, avec ses escapades au-dessus de la mer, grogna grand-père. Il se prend pour une mouette, ma parole!

Ils coururent vers le stationnement et retrouvèrent leur autobus qui attendait bien sagement. Il valait mieux partir avant que toute la population ne découvre Vol-au-Vent.

Ils montèrent donc à bord et grand-père ordonna au brave véhicule de les conduire tout de suite à L'Anse-à-Beaufils. Ils eurent quelques difficultés à sortir de Percé, car les rues étaient pleines de gens qui voulaient voir l'autobus volant. Finalement, ils réussirent à se frayer un chemin et ils quittèrent le village.

Chapitre 13

OÙ EST CHARLOTTE?

C'est alors que Margo s'aperçut que Charlotte avait disparu. Plus de Charlotte! Où pouvait donc être Charlotte? Vol-au-Vent se rappela que la chatte était restée avec lui pendant le voyage avec les bandits. Elle avait dû sauter en même temps qu'eux sur le Rocher et il était reparti trop vite pour la ramener. Grand-père en était arrivé à la même conclusion: Charlotte était sur le Rocher Percé avec les bandits et les mouettes. Elle devait être morte de peur. Margo pleurait. Il n'y avait rien d'autre à faire que de retourner sur le Rocher pour chercher Charlotte.

Vol-au-Vent était ravi et il ne fut même pas nécessaire de lui demander de s'envoler. Il partit comme une flèche, survola le célèbre Rocher, forçant les malfaiteurs à se coucher. Charlotte était bien là, toujours aux prises avec les mouettes curieuses. L'autobus se posa quelques secondes, juste le temps que Margo sorte en courant pour attraper sa chatte, et déjà Vol-au-Vent repartait vers L'Anse-à-Beaufils.

– Merci, Vol-au-Vent, dit Margo en caressant la pauvre Charlotte, tu n'es pas très discret, mais on peut compter sur toi.

L'autobus, tout fier, fit un atterrissage en douceur sur le sable de la plage de L'Anse-à-Beaufils. Ce village est un petit port de pêche, mais à cette heure, le port était désert, les bateaux partis en mer.

Grand-père monta vers le village en laissant Margo et l'autobus sur la plage.

– Je t'interdis de voler maintenant, ordonna-t-il à l'autobus. Tu fais de beaux exploits, mais c'est assez pour aujourd'hui!

Chapitre 14

UN COPAIN POUR MARGO

Margo partit à la recherche de jolis galets pour ajouter à sa collection pendant que Charlotte, remise de ses émotions, faisait la chasse aux crabes minuscules. L'autobus, un peu bousculé, boudait devant la mer.

Margo tout en marchant avait contourné une haute falaise. Elle vit venir vers elle un garçon coiffé d'une grande casquette. Avec un long bâton dans la main droite, il fouillait dans les roches. Dans sa main gauche se balançait un sac en plastique. Il se pencha et ramassa quelque chose.

Il faillit buter contre Margo et leva la tête avec un large sourire. Margo lui rendit son sourire.

– Qu'est-ce que tu cherches comme ça? demanda-t-elle, curieuse.

Il la dévisagea:

– Mais des agates, voyons! Regarde la belle que je viens de trouver!

C'était en effet une très jolie pierre luisante et translucide, orange et or.

– Tu n'as jamais vu d'agates? demanda le gamin tout surpris devant les grands yeux de Margo.

– C'est la première fois que je viens ici, répondit Margo. Moi, j'ai un autobus magique pour moi toute seule, affirma-t-elle fièrement.

– Ah! bon! fit Francis, pas impressionné pour un sou; et comment t'appelles-tu?

– Margo, fit-elle. Et toi?

– Je m'appelle Francis. Bon! dit-il en mettant son sac sur l'épaule, la cueillette est finie pour aujourd'hui. Où est-il, ton fameux autobus magique?

– Viens avec moi, je vais te le montrer, dit Margo tout excitée.

Francis la suivit en pensant: "Elle est folle, cette fille-là!"

Au détour de la plage, il vit l'autobus scolaire jaune derrière un petit chat et zigzaguant comme s'il lui courait après. Francis s'arrêta les yeux ronds, puis il lança son bâton et son sac en l'air en criant: Youpi! Youpi!

Margo n'en revenait pas. Elle croyait que comme les autres, Francis serait effrayé d'un autobus qui roule tout seul. Mais non! Il trouvait ça formidable. Elle invita donc Francis à monter dans son autobus et fit les présentations d'usage:

– Francis, voici Vol-au-Vent. Vol-au-Vent, salue Francis!

Vol-au-Vent klaxonna pour dire bonjour.

– Vol-au-Vent, demanda Margo, emmène-nous faire un tour, veux-tu?

Vol-au-Vent ne bougea pas. Grand-père l'avait défendu et il obéissait. Francis regarda Margo, incrédule:

– Pourquoi il veut pas rouler, ton autobus? Tout à l'heure, il roulait bien derrière le chat!

– Je pense que c'est parce que grand-père lui a interdit de partir d'ici. Ce matin à Percé, nous avons eu de drôles d'aventures et grand-père est un peu inquiet.

Grand-père, qui rentrait de sa visite à l'Anse, rencontra Francis au moment où celui-ci repartait, déçu.

– Reviens demain, dit grand-père, nous irons en balade avec Vol-au-Vent.

Chapitre 15

VOL-AU-VENT SE FÂCHE

Francis rentra chez lui. On n'y parlait que du vol de banque et surtout du fameux autobus volant. Francis apprit que les policiers avaient capturé les voleurs sur le Rocher et qu'on cherchait les propriétaires du véhicule pour les remercier, mais surtout pour savoir le fin fond de cette histoire d'autobus qui vole.

– Je l'ai vu, moi, l'autobus magique, s'écria Francis. Je sais même où il est. Juste ici, à L'Anse-à-Beaufils! Sur la plage! Je l'ai vu rouler cet après-midi. Il roulait tout seul, vrai comme je vous vois, affirma-t-il à ses parents.

En moins d'une demi-heure la maison de Francis était pleine de gens. Tout le monde partit pour la plage voir le fameux autobus. Francis était content de se donner de l'importance devant les grandes personnes.

Vol-au-Vent, les roues léchées par de petites vagues, dormait d'un phare. C'était un prudent, Vol-au-Vent! Quand il entendit des bruits de voix derrière lui, il se demanda bien ce que tous ces gens venaient faire à cette heure sur la plage.

– C'est lui! Regardez! annonça fièrement Francis en le montrant du doigt. Venez. Je sais comment il marche. Il faut lui donner des ordres et il obéit.

"C'est ce que tu penses, mon petit bonhomme", se dit Vol-au-Vent, fâché d'être dérangé dans son sommeil. Les gens se pressaient autour de lui. On l'éclairait avec des lampes de poche. On le touchait un peu partout. On essayait d'ouvrir son capot. On tirait sur sa porte. À la fin, Vol-au-Vent eut un mouvement d'impatience. "Ils veulent voir de la magie, se dit-il, je vais leur en montrer." Il les laissa ouvrir sa porte.

Tout le monde se précipita à l'intérieur pour voir s'il y avait un truc qui faisait voler cet autobus.

Vol-au-Vent referma alors sa porte, klaxonna, alluma ses phares et ses clignotants, et s'envola dans le clair de lune. Quel charivari à bord de l'autobus!

– Arrêtez, arrêtez! Redescendez, voyons! Qu'est-ce qui arrive?

L'autobus n'était pas méchant, mais il voulait qu'on le laisse en paix; il redescendit bientôt et se posa sur la plage en douceur. Il ouvrit la porte et tous le quittèrent en courant. Ils savaient maintenant que l'autobus était magique! Francis se sentait un peu coupable d'avoir ameuté tout ce monde. Il sentait bien que l'autobus était vexé. Il resta près de Vol-au-Vent.

– Je m'excuse, monsieur l'autobus, de vous avoir réveillé, murmura-t-il. Si vous voulez, je vais vous montrer un petit coin tranquille où personne ne viendra plus vous déranger.

Vol-au-Vent, qui adorait les enfants, oublia sa rancune et ouvrit doucement sa porte. Francis monta et le conduisit dans une petite crique, bien cachée dans les rochers. Puis il s'endormit dans l'autobus.

Chapitre 16

VOL-AU-VENT DANS LE VENT!

Le lendemain, grand-père et Margo eurent la mauvaise surprise de ne pas trouver Vol-au-Vent là où ils l'avaient laissé la veille. La plage de l'Anse-à-Beaufils était déserte. Pas d'autobus! Puis ils virent soudain apparaître Vol-au-Vent au-dessus d'une falaise. Il se balançait au milieu des mouettes. Il n'était pas seul. Francis, fier comme tout, était au volant.

– Mais, mais . . . qu'est-ce que c'est ça? dit grand-père, tout en faisant de grands signes à Francis pour qu'il revienne.

L'autobus se posa devant eux quelques minutes plus tard et Francis dut tout raconter. Il se sentait fort gêné, le petit garçon, mais grand-père et Margo étaient tellement contents de retrouver leur autobus qu'ils pardonnèrent bien volontiers à Francis.

– Mes enfants, dit grand-père, nous allons à l'île de Bonaventure aujourd'hui. Tout le monde à bord!

L'autobus reprit la route de Percé. Puis, juste au moment d'arriver à la Côte Surprise, il se dirigea vers le bord de la falaise et il s'envola encore une fois au-dessus de la mer bleue. L'île de Bonaventure avait l'air de flotter dans la brume ce matin-là. Les mouettes entourèrent l'autobus. Il y en avait tellement que d'en bas on ne le voyait plus.

– Regarde tous ces oiseaux qui nous accompagnent, fit remarquer Margo à

Francis. Ils doivent se demander quel gros oiseau nous sommes! Un gros serin, peut-être?

Les enfants furent pris d'un fou rire, et Vol-au-Vent était ravi de passer pour un oiseau.

Quelques minutes plus tard, Vol-au-Vent atterrissait sur l'île au milieu d'une petite clairière. Grand-père suggéra:

– Montons à pied jusqu'au Sanctuaire d'oiseaux. Vous y verrez des fous de Bassan.

Ils entrèrent dans la forêt et l'autobus se faufila sans bruit derrière eux.

Les milliers d'oiseaux, sur la falaise, faisaient comme une averse de neige, mais une neige . . . si bruyante, si criarde, qu'ils durent se boucher les oreilles. Charlotte s'agrippait des quatre pattes au chandail de Margo.

Les grands oiseaux blancs s'envolaient et tourbillonnaient au-dessus du gouffre bleu de la mer. Grand-papa, Margo et Francis regardaient, fascinés.

L'autobus les avait suivis; il reniflait lui aussi l'air du large. Vol-au-Vent sentit naître en lui l'envie de partir très loin, au bout du monde. Il voulait devenir un grand oiseau. Vol-au-Vent voulait tellement, mais tellement, devenir un oiseau qu'il lui poussa de grandes ailes . . . Il regarda ses amis, sa petite Margo, et klaxonna pour les prévenir.

– Vol-au-Vent! Regarde, grand-père! Vol-au-Vent a des ailes!

L'autobus clignota de ses feux rouges en signe d'adieu, ouvrit toutes grandes ses ailes, vibra de toute sa carcasse qui se couvrit de milliers de plumes jaunes. Il s'envola au-dessus de la mer bleue, au-delà des oiseaux, plus haut que les petits nuages floconneux.

Margo fit de grands signes de la main à son autobus-oiseau. Elle était à la fois éblouie et attristée.

– Nous en sommes quittes pour retourner à Percé par le bateau, dit grand-père. Venez, les enfants. Votre ami Vol-au-Vent est heureux.

– Grand-père, comment allons-nous retourner à Saint-Théodore? s'inquiéta Margo.

– Ne crains rien, ma chérie, profitons de nos vacances, nous verrons cela plus tard.

Ils redescendirent à travers la forêt. Margo tenait la main de son grand-papa. Elle regardait souvent le ciel, espérant y revoir le grand oiseau jaune qu'était devenu Vol-au-Vent.

Chapitre 17

UNE PLUME JAUNE

Quelques jours plus tard, Adrien Méthot avait pris une grande décision. Ils allaient, Margo et lui, s'installer à L'Anse-à-Beaufils. Margo sauta de joie. On fit venir le Capitaine Ti-Jean de Canne-de-Roches pour fêter l'événement. Margo emmena son copain Francis sur la plage pour lui annoncer la nouvelle. Ils faisaient des projets pour le reste des vacances, lorsqu'un grand, un immense oiseau jaune les frôla de son aile. Une belle et longue plume jaune tourbillonna un instant et se posa à leurs pieds.

– Vol-au-Vent! s'écria Margo, il est revenu!

Le grand oiseau tourna au-dessus d'eux quelques minutes, puis avec de grands battements d'ailes, il s'éloigna vers le large. Vol-au-Vent était venu dire adieu à sa petite amie et lui laissait en souvenir une de ses plumes. Une belle plume jaune pour les rêves de Margo . . .

– Merci, Vol-au-Vent, dit tout bas Margo en ramassant la plume.

Elle prit la main de Francis et les deux enfants s'élancèrent dans une course folle sur la plage.

TABLE DES MATIÈRES

ACHEVÉ D'IMPRIMER
EN AVRIL 1988
SUR LES PRESSES DE
PAYETTE & SIMMS INC.
À SAINT-LAMBERT, P.Q.